Eine Idee von  ANDREA DAMI

Leo Lausemaus® ist ein eingetragenes Warenzeichen und erscheint im
Lingen Verlag, Brügelmannstraße 3, 50679 Köln
© 2015 der deutschen Ausgabe by Helmut Lingen Verlag GmbH
© 2015 Giunti Editore S.p.A., Milano-Firenze
Dami International, a brand of Giunti Publishing Group
Illustrationen: Marco Campanella
Text: Anna Casalis
Text für die deutsche Ausgabe: Frieda Böhm

49677/2

www.lingenkids.de
www.leo-lausemaus.de

Printed in EU

Leo Lausemaus

will nicht teilen

Illustrationen von

Marco Campanella

Leo Lausemaus ist überglücklich. Der Papa hat einen
Sandkasten in den Garten gebaut und sieh nur, eine
richtige Sandburg steht auch schon da. Nun kann
Leo mit seinen Rittern nach Herzenslust spielen.
„So, das wird der Weg zu meiner Burg!", beschließt
Leo und zieht seinen Rechen durch den Sand.

Nein, Lili!

Leider hält Leos Freude nicht lange an. Seine kleine Schwester Lili hat sich zu Leo in den Sandkasten gesellt und möchte unbedingt die grüne Schaufel haben. „Nein, Lili, die kannst du nicht haben!", ruft Leo eigensinnig und versucht, Lili die Schaufel wegzunehmen.

Die Mama kommt gerade in den Garten, da sieht sie, wie sich Leo und Lili streiten. Das findet die Mama aber gar nicht gut. „Leo, du hast doch noch den Rechen und den Eimer. Du könntest ruhig die Spielsachen mit Lili teilen."

Kaum ist die Mama zurück ins Haus gegangen,
fangen Leo und Lili wieder an zu streiten.
Leo will einfach nicht die Spielsachen mit Lili teilen.
„Die Schaufel gehört mir!", schimpft er und schubst
seine kleine Schwester sogar.
Da passiert es, Lili fällt nach hinten, und plumpst
mitten in die schöne Sandburg. Auweia, jetzt
weint Lili. Dass es so ausgeht, hat Leo Lausemaus
nicht gewollt. Zum Glück hat sich seine Schwester
nicht wehgetan.
Leise sagt er: „Entschuldigung, Lili!"

Lili hat zwar aufgehört zu weinen, doch im Sandkasten spielen will Leo nun auch nicht mehr. „Wegen dir ist meine schöne Sandburg kaputt, Lili", schmollt er und geht in sein Zimmer.
Lili folgt ihrem großen Bruder.
Nanu, was macht Leo denn da? Er räumt schnell alle Spielsachen zusammen. „Nein, Lili, damit darfst du nicht spielen. Sicher machst du nur wieder was kaputt."

Meine Spielsachen!

Am nächsten Tag ist Leo Lausemaus im Kindergarten. Alle Kinder spielen fröhlich miteinander. „Komm, Fipsi, wirf uns den Ball rüber!" Huch, was ist denn da los? Sie beachten Leo gar nicht.

Leo Lausemaus sieht nicht gerade zufrieden aus, obwohl er jede Menge Spielsachen bei sich hat. „Das gehört alles mir!", flüstert er Teddy zu.

Weil Leos Mama heute noch in die Stadt muss,
darf Leo den Nachmittag über bei seinem Freund
Max bleiben.

Leo ist gerne bei Max zu Besuch. „Deine Mama
backt immer so leckeren Kuchen", schwärmt Leo
und bemerkt erst jetzt, dass er sein Stück schon
aufgegessen hat. „Wenn du den so gerne magst,
dann kannst du mein Stück auch noch haben, Leo",
bietet Max an.

Leo staunt, wie freundlich Max doch ist.

Dann spielen die beiden Freunde in Max' Zimmer.
„Mensch, Max, du hast aber tolle Spielsachen",
sagt Leo begeistert. Am besten gefällt ihm die
Holzeisenbahn.
„Ich habe auch so eine, aber mein Zug hat nicht
so viele Anhänger wie deiner." Max nimmt einen
Anhänger und gibt ihn Leo. „Den schenke ich dir,
wenn du ihn magst", sagt er freundlich.
Max ist wirklich nett und er teilt auch gerne
seine Sachen mit Leo Lausemaus.

Nur den neuen Bagger möchte Max nicht
an seinen Freund Leo ausleihen. Den hat er
nämlich gerade erst zum Geburtstag bekommen.
Max sagt Nein, als Leo damit spielen möchte.
Aber schau nur: Leo packt einfach heimlich
den Bagger in seine Tasche, als Max gerade
nicht hinsieht.
Leo Lausemaus, was machst du denn da?

Kaum ist Leo Lausemaus wieder zu Hause, sieht
Lili ihn mit dem neuen Bagger spielen und fragt:
„Mama, warum hast du nur Leo etwas aus der Stadt
mitgebracht?"
Die Mama wundert sich, doch dann sieht auch
sie den neuen Bagger. „Leo, woher hast du den?"
Leo stammelt: „Äh, von Max. Er hat mir so gut
gefallen, da habe ich ihn mitgenommen."
Die Mama kann es nicht glauben. „Ohne Max
zu fragen? Leo, das geht doch nicht! Den bringst
du sofort zurück!"

Mit angelegten Ohren macht sich Leo Lausemaus auf den Weg zu Max.

Die ganze Zeit überlegt Leo, wie er seinem Freund erklären soll, dass er den Bagger einfach mitgenommen hat.

„Max ist so ein netter Freund. Er hat mir Kuchen abgegeben und mir sogar einen Anhänger für den Holzzug geschenkt."

Als Max die Tür öffnet, hält Leo den Bagger in den Pfoten und bleibt einfach nur stumm …

Max freut sich, dass Leo ihm seinen Bagger zurückbringt. „Den habe ich schon überall gesucht!
Wie kommt der denn zu dir, Leo?"
Nun ist es an Leo, alles zu erklären und sich zu entschuldigen. Längst hat Leo Lausemaus eingesehen,
dass er nicht richtig gehandelt hat.
Die kleine Lausemaus ist froh, als Max seine Entschuldigung annimmt und ihm die Hand reicht.
„Du bist doch mein Freund, Leo!"

Am nächsten Tag besucht Leo den Kindergarten
und man erkennt ihn kaum wieder.
Fröhlich spielt er mit seinen Freunden, und
als sie alle zusammen Ringelreihen tanzen,
singt Leo laut und munter: „Wer teilen kann,
hat ja viel mehr Spaß!"
Das ist wohl wahr – du kleine Lausemaus.

Entdecke die Welt von Leo Lausemaus

hat schlechte Laune
ISBN 978-3-937490-21-2

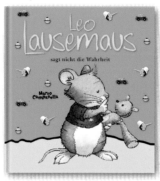

sagt nicht die Wahrheit
ISBN 978-3-937490-25-0

allein bei den Großeltern
ISBN 978-3-937490-26-7

will nicht in den Kindergarten
ISBN 978-3-937490-24-3

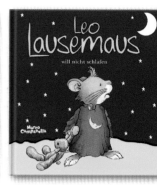

will nicht schlafen
ISBN 978-3-937490-20-5

hat Geburtstag
ISBN 978-3-938323-89-2

wünscht sich ein Geschwisterchen
ISBN 978-3-937490-28-1

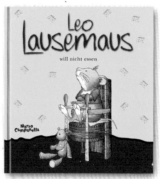

will nicht essen
ISBN 978-3-937490-22-9

Lili geht aufs Töpfchen
ISBN 978-3-941118-30-0

Mama geht zur Arbeit
ISBN 978-3-937490-27-4

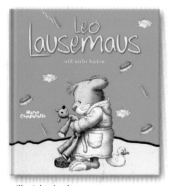

will nicht baden
ISBN 978-3-942453-53-0

trödelt mal wieder
ISBN 978-3-938323-94-6

will nicht teilen
ISBN 978-3-941118-59-1

lernt schwimmen
ISBN 978-3-941118-75-1

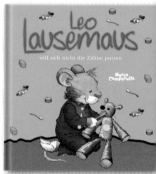

will sich nicht die Zähne putzen
ISBN 978-3-938323-18-2

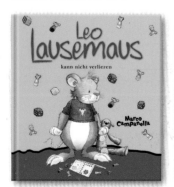

kann nicht verlieren
ISBN 978-3-942453-21-9

will nicht zum Arzt
ISBN 978-3-941118-86-7

will nicht verreisen
ISBN 978-3-942453-97-4

... überall im Handel und unter www.lingenkids.de